Redactie:	Larry Iburg
Omslagontwerp:	Erik de Bruin, www.varwigdesign.com
	Hengelo
Lay-out:	Christine Bruggink, www.varwigdesign.com
Druk:	Wöhrmann Print Service
	Zutphen

ISBN 90-76968-69-1

© 2006 Uitgeverij Ellessy
Postbus 30227
6803 AE Arnhem
www.ellessy.nl

WWW
Beroepen
wij willen weten
Deel 1A
Esther Nederlof
Werken in de sport
Topsport

ELLESSY
JEUGD

Inhoudsopgave

Inleiding

Als je aan leerlingen op een basisschool vraagt wat ze later graag willen worden, dan zijn er een paar beroepen die vaak genoemd worden. Zo staan "werken in het onderwijs" of "werken met dieren" bij meisjes in de top 10 van meest gewilde beroepen. Veel jongens willen later graag bij de brandweer of de politie werken. Ook het beroep profvoetballer lijkt hen erg aantrekkelijk. Maar profvoetballer word je niet zomaar. Je kunt geen opleiding volgen waarbij je, als je slaagt, zomaar opeens profvoetballer bent. Nee, je hebt talent nodig, een beetje geluk en heel veel inzet en doorzettingsvermogen voordat je geld kunt verdienen met voetballen. En dat geldt niet alleen voor profvoetballers, maar ook voor bijvoorbeeld tennissers, wielrenners en schaatsers.

Bij veel sporten verdien je trouwens zelfs als topsporter nog niet veel. Daarom is het belangrijk om naast het beoefenen van je sport ook een opleiding te volgen na je middelbare school. Dit kan een sportopleiding zijn, zoals CIOS of CALO, of een andere MBO- of HBO-opleiding.

In dit boekje wordt besproken hoe het is om te werken in de topsport. Er zal onder andere aan bod komen wat het beroep 'topsporter' precies inhoudt, wat je daarvoor moet doen en laten en welke opleidingen je kunt volgen.

Dit boekje is het eerste deel in de serie WWW-beroepen en een onderdeel (deel 1A) van 'Werken in de sport'. In deel 1B (dat in 2007 zal verschijnen) wordt werken in de recreatiesport besproken, waarin o.a. aandacht voor de beroepen: gymnastiekleraar en recreatie(sport)leider.

Opmerking

Er zijn heel veel sporten die je kunt beoefenen. En bij alle sporten kun je de top halen.

Het is echter onmogelijk om in dit boekje over alle sporten iets te schrijven. Zo zullen de sporten boksen, dammen, gewichtheffen, tafeltennis en nog vele andere sporten hier niet aan bod komen. Dat betekent absoluut niet dat er bij die sporten geen topprestaties worden geleverd of dat het minder belangrijke sporten zijn.

Als auteur heb ik echter een keuze moeten maken over welke sporten en sporters ik iets wil en kan vertellen. Vaak speelde het vinden van informatie een grote rol. Zo is over profvoetbal veel meer bekend en veel meer informatie te vinden dan over korf- of handbal. Vandaar dat ik die sport vaker als voorbeeld heb genomen.

1. Wat is topsport?

Binnen de sport in Nederland wordt de volgende definitie van top-sporter gebruikt:

Je bent topsporter als je internationaal op het hoogste niveau (EK's, WK's en Olympische Spelen) meedoet, binnen een erkend topsportonderdeel.

De topsporters worden door het NOC*NSF (zie hieronder) inge-deeld. Zo heb je topsporters met een A-status (die prestaties leve-ren op het niveau van de top 8 van de wereld), topsporters met een B-status (die prestaties leveren op het niveau van de top 16 van de wereld) en HP-sporters (sporters waarvan verwacht wordt dat ze in de toekomst tot de top 16 zullen gaan behoren). Dus zelfs als je in Nederland tot de top behoort, ben je volgens bovenstaande definitie nog geen topsporter. Dat ben je pas als je internationaal ook goed presteert. Er zijn dus in Nederland maar enkele sporters die zich officieel 'topsporter' mogen noemen. Bovendien wordt elke sporter per jaar opnieuw beoordeeld. Het is dus niet zo dat als iemand eenmaal een A-status gehaald heeft, dat hij[1] die dan de rest van zijn loopbaan blijft behouden.

Het NOC*NSF

Het Nederlands Olympisch Comité*Nederlandse Sport Federatie (afgekort NOC*NSF) is een organisatie waarin de georganiseer-de sport in Nederland samenwerkt.
Bij het NOC*NSF zijn alle landelijke sportorganisaties aangeslo-ten. Daarbij moet je denken aan organisaties zoals de KNVB (Koninklijke Nederlandse Voetbal Bond), de KNLTB (Koninklij-ke Nederlandse Lawn Tennis Bond) en de Nederlandse Atletiek-unie. Al deze organisaties bestaan samen weer uit duizenden ver-enigingen met in totaal een paar miljoen sporters/leden.

[1] Waar 'hij' staat, kan ook 'zij' gelezen worden. Dit geldt voor het gehele boek.

Het NOC*NSF stimuleert en helpt de aangesloten sportorganisaties om een goed topsportbeleid te ontwikkelen en daar omheen een goede organisatie op te zetten.
Het topsportbeleid van het NOC*NSF wil graag dat Nederland bij de tien beste landen van de wereld hoort. Eén van de voorwaarden daarvoor is dat topsporters zich optimaal kunnen voorbereiden op topsportprestaties. Daarom stelt het NOC*NSF geld en middelen beschikbaar voor onder andere talentontwikkeling, goede trainings- en wedstrijdprogramma's, de aanschaf van materialen en het aantrekken van professionele topsportbegeleiders.
Om voor de voorzieningen van 'NOC*NSF Topsport' in aanmerking te komen, moet je A-sporter, B-sporter of HP-sporter zijn en de Nederlandse nationaliteit hebben.

2. Hoe word je topsporter?

Hieronder staan in het kort de stappen die je maakt van beginnend sporter tot topsporter:
• je wordt lid van een sportvereniging;
• je hebt talent;
• trainers, toeschouwers, medespelers en tegenstanders zien dat je goed bent;
• je doet mee aan wedstrijden en wint veel;
• je gaat op een steeds hoger niveau sporten;
• je traint steeds harder en vaker;
• je doet mee aan regionale trainingen;
• je doet mee aan regionale wedstrijden;
• je wint regionale wedstrijden;
• je doet mee aan landelijke wedstrijden;
• je wint landelijke wedstrijden;
• je doet mee aan internationale wedstrijden;
• je wint internationale wedstrijden.

Maar zo simpel als het hierboven is opgesomd, is het natuurlijk in het echt niet.
Veruit de meeste sporters komen niet verder dan de eerste stap, lid worden van een sportvereniging. Natuurlijk wint iedereen dan wel eens een wedstrijd, maar echt talent om verder te komen hebben maar weinig spelers.

Bovendien is het niet zo dat je binnen korte tijd van de eerste stap naar de laatste stap gaat. Nee, daar gaan jaren van hard en vaak trainen overheen.
De meeste talenten blijven vervolgens bij een bepaalde stap steken. Ze doen bijvoorbeeld wel mee aan regionale wedstrijden, maar de landelijke top halen ze niet. Of het kost te veel tijd of inspanning om zo hoog te blijven presteren. De motivatie om te presteren wordt minder en het talent krijgt te maken met een

terugval of stopt er zelfs mee. Ook blessures kunnen roet in het eten gooien.
Er zijn al met al maar heel weinig talenten die echt de top bereiken.

In de hoofdstukken hierna zal dieper worden ingegaan op het ontdekken van talent en het sporten op hoog niveau.

3. De ontdekking van talent

Vaak kiest iemand op jonge leeftijd voor een bepaalde sport. Hij of zij wordt dan lid van de plaatselijke sportvereniging. Dat kan een teamsport zijn, zoals voetbal of volleybal of een individuele sport, zoals atletiek of tennis. Zowel bij de meeste teamsporten als bij de meeste individuele sporten zijn er trainingen en wedstrijden. Bij een individuele sport is dan vaak goed te zien of iemand een talent is of niet. Als iemand steeds alle wedstrijden van z'n leeftijdsgenoten (en daarna ook van oudere leden) wint, dan weet je dat iemand talent heeft.

Bij een aantal sporten is het zelfs heel erg makkelijk om vast te stellen of iemand bij de top hoort of niet. Dat zijn de sporten waarbij naar de tijd wordt gekeken die iemand neerzet op een bepaalde afstand (bijvoorbeeld schaatsen, hardlopen, roeien of zwemmen), of de hoogte of verte die iemand haalt (bijvoorbeeld kogelstoten, speerwerpen, hoogspringen en verspringen). Een sporter behoort bij de top als hij bijvoorbeeld een snelle tijd neerzet of een bepaald aantal meters springt.

Bij een teamsport is het moeilijker om talenten te spotten. Iemand kan misschien wel heel goed voetballen, maar als hij de ballen niet goed krijgt aangespeeld of als de rest van z'n team er niets van bakt, dan valt zijn talent veel minder op. Natuurlijk weet een trainer wel of iemand goed is of niet, maar toch is het ontdekken van echt talent niet altijd even makkelijk.

Profclubs willen natuurlijk graag dat de talenten naar hun vereniging komen. Daarom hebben sommige clubs scouts in dienst of ze organiseren speciale talentendagen.

Scouts

Scouts zijn mensen die 'kijk hebben' op talenten. Zij zien aan een sporter of hij goed genoeg is om tot de top te gaan behoren. Scouts werken bij een profclub of een regioselectie van een bepaalde sport en hun baan is talenten opsporen. Vaak hebben ze van een vereniging een tip gekregen dat ze eens moeten kijken naar een bepaalde wedstrijd van een team, omdat daar een speler bij zit die goed presteert. Als zo'n scout dan komt kijken en hij ziet iemand spelen waarvan hij denkt dat dat wel eens een talent zou kunnen zijn, dan nodigt hij die speler uit voor een proeftraining bij een profclub of bij een bepaalde regioselectie.

Talentendagen

Heel veel profclubs in Nederland houden speciale talentendagen. Op zulke dagen worden talenten uit de omgeving van de club uitgenodigd om een training mee te maken. Alle talenten worden dan tijdens die training beoordeeld en de beste spelers worden uitgenodigd om nog eens te komen trainen of om bij de club te komen spelen.

Hoe komen talenten bij voetbalclub Ajax, Feyenoord of PSV?[2]

Ajax
Talenten komen op verschillende manieren bij Ajax terecht. Vaak worden ze op de voetbalvelden gescout. Een scout bezoekt wedstrijden bij verschillende verenigingen en hij kijkt of hij een speler ziet die eventueel bij Ajax zou passen. Als dit het geval is maakt de scout dit bekend bij Ajax, waarop Ajax de speler nog eens bekijkt of uitnodigt voor een training. Het gebeurt soms ook dat jeugdspelers in wedstrijden tegen een team van Ajax opvallen en dan een uitnodiging ontvangen.

---

[2] Onderstaande informatie komt van de websites *www.ajax.nl*, *www.feyenoord.n*l en *www.psv.n*

Een andere manier om talenten te ontdekken zijn de talentendagen die Ajax organiseert. Iemand die aan zo'n talentendag mee wil doen, moet aan een aantal eisen voldoen en ook in een bepaalde leeftijdsgroep zitten, niet te ver van Amsterdam wonen en denken dat hij goed genoeg is om in de Arena te gaan voetballen.

Feyenoord

Voetbalclub Feyenoord organiseert ieder jaar twee talentendagen. Vele honderden voetballertjes zijn dan op het veld te vinden om hun kunsten te vertonen. Het enthousiasme is ieder jaar enorm, toch is een toekomst in het Feyenoordshirt slechts voor weinigen echt weggelegd.

Kinderen tot en met 11 jaar mogen meedoen. Je zou zeggen dat het scouten op jonge leeftijd (6, 7, 8 jaar oud) zeer moeilijk is. Het hoofd jeugdopleidingen is het daar niet mee eens: "Het is juist makkelijker talent te herkennen, al moet je er natuurlijk wel een oog voor hebben. Een goede speler valt op deze leeftijd nog meer op, qua beleving of balgevoel bijvoorbeeld. Een echt talentje halen we er meestal zo uit."

Toch zullen vele spelertjes teleurgesteld worden. Het merendeel van hen zal niet worden uitgenodigd om een vervolg aan deze dag te geven. "We gaan hierna de beste spelers selecteren en dan blijven er zo'n honderd over. Die mogen terugkomen. Ook daaruit pikken we weer de besten. Uiteindelijk blijven er ongeveer vier of vijf spelers over die in de opleiding mogen komen. Dat lijkt weinig, maar verhoudingsgewijs valt dit wel mee. Je moet niet vergeten dat we deze jongens niet hadden gezien wanneer er geen talentendag was geweest."

PSV

PSV is geen club waar je zo maar lid van kunt worden. De PSV Opleiding bestaat namelijk uitsluitend uit spelers die PSV via scouting aantrekt. PSV houdt geen talentendagen.

Als een speler denkt dat hij heel goed kan voetballen en vindt dat hij in aanmerking moet komen voor de PSV Opleiding kan hij een scoutingformulier invullen waarin onder andere wordt gevraagd naar zijn wedstrijdprogramma. PSV Scouting onderzoekt de mogelijkheden om de speler tijdens een wedstrijd in actie te zien om zijn talent te kunnen beoordelen

Als PSV Scouting onder de indruk is van iemands talent dan ontvang hij binnen zes weken na het versturen van het scoutingformulier een bericht. PSV Scouting kan de speler bijvoorbeeld uitnodigen voor een proeftraining of -stage bij de PSV Opleiding. Een andere mogelijkheid is dat PSV Scouting laat weten aan welke tekortkomingen nog gewerkt moet worden om in de toekomst in aanmerking te komen voor de PSV Opleiding. Indien een speler niet goed genoeg bevonden wordt voor de PSV Opleiding ontvangt hij geen reactie van PSV Scouting. Door de grote hoeveelheid scoutingformulieren die PSV Scouting ontvangt, is het helaas niet mogelijk om iedereen een reactie te sturen.

4. Ontdekt en dan?

Als iemand eenmaal is ontdekt en bij een profclub of regioselectie speelt, dan betekent dat niet dat hij daar de rest van z'n sportcarrière kan blijven. Na een bepaalde periode wordt steeds weer gekeken of iemand het niveau aankan. Sommige talenten stromen door naar een volgend niveau, maar andere talenten hebben zich onvoldoende ontwikkeld en moeten stoppen. Zij gaan dan meestal weer terug naar de amateurclub waar ze vandaan kwamen.
Niet alleen de talenten die zich onvoldoende ontwikkelen vallen af. Het kan ook zijn dat iemand moet stoppen omdat hij zich niet aan de regels houdt of omdat hij niet de juiste instelling heeft. Ook blessures kunnen er de oorzaak van zijn dat iemand niet meer mee kan komen. In sommige gevallen wil het talent zelf weer een stap terug doen, omdat hij andere dingen belangrijker vindt, zoals een opleiding of meer vrije tijd.
Zo vallen er iedere periode wel een aantal sporters af die daarvoor als talent bestempeld werden.
De talenten die zich goed blijven ontwikkelen, worden opgeleid tot topsporters.

5. Talentontwikkeling NOC*NSF Topsport

Het NOC*NSF Topsport wil graag een vaste toppositie in de internationale sportwereld hebben. Daarom moeten ze in Nederland veel aandacht besteden aan het herkennen van talenten. Als het NOC*NSF Topsport de talenten eenmaal ontdekt heeft, moeten ze zorgen dat deze zich goed ontwikkelen en dat ze opgeleid worden tot topsporters.

Daarvoor is een duidelijk ontwikkelings- en opleidingsprogramma voor getalenteerde sporters nodig. Op dit moment duurt het ongeveer acht tot tien jaar voor talenten op het hoogste niveau kunnen oogsten.
Daarnaast moet er een sterke sportinhoudelijke samenhang tussen de programma's van verschillende selectiegroepen (bijvoorbeeld de junioren en Jong Oranje) zijn. De inhoud van deze programma's moet zijn afgeleid van het hoogste niveau.

Het NOC*NSF Topsport doet het volgende aan talentontwikkeling:
- Ondersteunen van sportorganisaties, zodat ze aandacht kunnen schenken aan talentontwikkeling in hun programma.
- Inzetten van een technisch adviseur Talentontwikkeling bij het opzetten en (laten) uitvoeren van talentherkenning en -ontwikkeling.
- Organiseren van bijeenkomsten voor coaches van Jong Oranjeselecties.
- Zorgen dat er geld is voor het uitvoeren van programma's voor Topjeugd, Jong Oranje en het Olympic Talent Team.
- Onderzoek laten uitvoeren naar succes- en faalfactoren binnen talentontwikkeling.
- Ontwikkelen van voorstellen voor een opleidingsvergoeding voor individuele sporters, die zij (gedeeltelijk) moeten terugbe-

talen als zij overstappen naar een commerciële ploeg.

- Organiseren van de Leo van der Kar Week. Dit evenement vindt plaats in het kader van talentherkenning. De Leo van der Kar Week wordt georganiseerd voor de al ontdekte talenten, die zich verder kunnen ontwikkelen.

6. Leo van der Kar Week en andere evenementen

Het Leo van der Kar Sportfonds stuurde vanaf 1966 jeugdige sporters naar het buitenland. Tussen 1985 en 1999 werden ook trainingsstages op Papendal georganiseerd, de zogenaamde Leo van der Kar Weken. Na een korte pauze werd het initiatief in 2002 - mede door financiële steun van het NOC*NSF - nieuw leven ingeblazen.

Leo van der Kar

De initiatiefnemer van het fonds, Leo van der Kar, was een atleet die na zijn carrière nauw betrokken bleef bij de sport. Van der Kar wilde iets doen voor de sport waaraan hij zelf altijd zoveel plezier had beleefd. Hij besloot jeugdige sporttalenten in de gelegenheid te stellen trainingsstages te volgen in het buitenland. Sinds de oprichting van het Sportfonds in 1960 hebben meer dan duizend jonge sporters van die stages kunnen profiteren.

Leo van der Kar Week

Ter gelegenheid van het 25-jarig jubileum van het Sportfonds Leo van der Kar is in 1985 voor de eerste keer de Sportfondsweek georganiseerd, als aanvulling op de toen al zeer populaire stages. Eigenlijk was het destijds bedoeld als eenmalig experiment. De formule werd omgedraaid: in plaats van een beperkt aantal sporters naar het buitenland te sturen om bij een buitenlandse coach te trainen, werd de buitenlandse coach naar Nederland gehaald. Zo konden nog meer sporters van deze week profiteren. Het experiment bleek een groot succes.

In de Leo van der Kar Week worden jonge talenten in hun zomervakantie uitgenodigd om een intensieve trainingsstage mee te maken. De groep bestaat uit jongens en meisjes tussen de 13 en 18 jaar die verschillende takken van sport beoefenen. De stage is bedoeld om hen kennis te laten maken met verschillende facetten van de topsport. Behalve de sporttechnische onderdelen leren de deelnemers in een topsportomgeving topsport in al zijn aspecten kennen.

De deelnemers krijgen een aantal aan topsport gerelateerde onderwerpen voorgeschoteld. In een afwisselend programma krijgen ze gedurende de week de gelegenheid om kennis te maken met mentale training, mediatraining, dopingvoorlichting en voorlichting over voeding. De bijeenkomsten worden verzorgd door (oud-)topsporters waardoor de deelnemers de verhalen uit de praktijk kunnen horen.

De bonden wordt de mogelijkheid gegeven een gastcoach uit te nodigen die samen met de eigen bondscoach een intensief trainingsprogramma verzorgt. De gastcoach hoeft geen buitenlandse coach te zijn, het gaat er om dat de gastcoach door zijn of haar hele specifieke kennis een toegevoegde waarde heeft ten opzicht van de normale trainingen.

Oud-deelnemers

Soms zijn de deelnemers aan de Leo van der Kar Week zo goed, dat ze jaren later doorbreken op het hoogste internationale niveau. Een van die oud-deelnemers aan de Leo van der Kar Week is tafeltennisser Trinko Keen. Keen nam in 1985 deel aan de eerste Leo van der Kar Sportweek op Papendal.
"Buiten het feit dat ik trots was dat ik mee mocht doen, vond ik het ook prachtig dat we die week samen met heel veel andere jonge sporters samen op Papendal zaten", blikt Keen nog eens terug. "Van zwemmers tot hockeyers, van judoka's tot tafeltennissers. Dat maakte de meeste indruk. Voor mij is samen trainen en

een doel hebben heel belangrijk voor succes en ik hoop dat degenen die nu meedoen aan de Leo van der Kar Week dezelfde motivatie krijgen als ik toen had."

Ook vele andere talenten gingen de huidige deelnemers van de Leo van der Kar Week voor. De vraag is natuurlijk of dat ook wat heeft opgeleverd. Het onderstaande lijstje geeft aan dat de Leo van der Kar Week eigenlijk niet kan ontbreken in de ontwikkeling van een absolute topper. Elk jaar levert wel enkele toppers op.

Danny Heister	*(tafeltennis)*	1985
Trinko Keen	*(tafeltennis)*	1985
Indra Angad Gaur	*(schermen)*	1988
Richard Krajicek	*(tennis)*	1989
Robin Korving	*(atletiek)*	1990
Maarten Lafeber	*(golf)*	1991
Mark Huizinga	*(judo)*	1991
Ben Sonnemans	*(judo)*	1991
Teun de Nooijer	*(hockey)*	1991
Guus Vogels	*(hockey)*	1991
Dennis van der Geest	*(judo)*	1993
Wietse van Alten	*(handboog)*	1994
Renske Endel	*(turnen)*	1995
Suzanne Harmes	*(turnen)*	1997
Rikst Valentijn	*(turnen)*	1997
Verona van der Leur	*(turnen)*	1997

Andere evenementen

In 2005 heeft de Van der Kar Week geen doorgang gevonden, omdat er dat jaar al vier andere grote sportevenementen waren, waarbij het NOC*NSF nauw was betrokken. Het betrof het EJOF, de Universiade, de World Games en de Koninkrijksspelen.

• Europees Jeugd Olympisch Festival

Het EJOF vond plaats in het Italiaanse Lignano. Tijdens het EJOF van 2005 stonden elf takken van sport op het programma. Dit waren: atletiek, judo, turnen, volleybal (meisjes), wielrennen, zwemmen, kano, tennis, handbal (meisjes), voetbal (jongens) en basketbal (jongens). Nederland nam deel aan de zes eerstgenoemde sporten. In totaal deden er ongeveer 3000 topsporters tussen de 14 en 18 jaar oud mee aan het Europees Jeugd Olympisch Festival. Het Nederlandse team heeft goed gepresteerd. Met zes gouden, twee zilveren en vier bronzen medailles eindigde Nederland in een veld van 48 Europese landen op een vijfde plaats in het medailleklassement.

• De World Games

De World Games zijn de mondiale Spelen voor sporten en takken van sport die niet op het Olympisch programma staan. In 2005 werd het evenement in Duisburg gehouden. De sporten waaraan het Nederlands Team deelnam waren biljart (driebanden, pool), boogschieten (veld), bowling (tenpin), gymnastiek (trampoline), karate, kanopolo, korfbal, krachtsport (powerlift, touwtrek en sumo), wakeboard (waterski), zwemmend redden en jiu jitsu.
Aan de Spelen voor niet-Olympische sporten deden 3500 atleten mee. Nederland is in een veld van 93 deelnemende landen met vijf gouden, acht zilveren en vier bronzen medailles geëindigd op een negende plaats in het medailleklassement.

• De Koninkrijksspelen

Deelname aan de Koninkrijksspelen is bedoeld voor de jongere jeugd van het Koninkrijk der Nederlanden. Een week lang met elkaar optrekken en tegen elkaar uitkomen op het sportveld kan het wederzijds begrip tussen de Antilliaanse, Arubaanse en Nederlandse jeugd ontwikkelen. De Koninkrijksspelen vonden in 2005 plaats op Curaçao. Er stonden negen sporten op het programma: atletiek, basketball, bowling, honkbal, judo, softbal, tennis, voetbal en volleybal. Met gouden medailles bij het basketball, bowling, judo, voetbal, volleybal en nog eens veertien individuele gouden plakken bij het onderdeel atletiek heeft de Nederlandse ploeg zeer goed gepresteerd tijdens de Koninkrijksspelen 2005.

• *De Universiade*

De Universiade zijn mondiale Spelen voor studenten. Jonge topsporttalenten van over de hele wereld komen bijeen en strijden er om de hoogste eer. De Universiade werd in 2005 in het Turkse Izmir gehouden. De sporten waaraan Nederland deelnam waren atletiek, boogschieten, schermen, taekwondo, turnen en zwemmen. De eerste eis die aan

een Universiade-deelnemer gesteld wordt, is dat hij of zij een topsporter is die studeert of die minder dan een jaar geleden afgestudeerd is aan Universiteit, HBO of MBO en die minimaal 17 jaar en niet ouder dan 27 jaar oud is. De Nederlandse taekwondoka's en turnsters verzamelden in Izmir vijf plakken.

7. Topsport en studie

In hoofdstuk 4 heb je gelezen dat lang niet alle talenten bij een profclub kunnen blijven. Daarom is het erg belangrijk dat het sporten niet ten koste gaat van de opleiding die de talenten op dat moment volgen. Stel dat een sporter het hoge niveau niet aankan en hij heeft al tijden niets meer aan z'n studie gedaan. Dan krijgt hij te horen dat hij bij de profclub moet vertrekken en bovendien moet hij op school ook nog een jaar overdoen. Dat zou een zware klap zijn.

Profclubs willen niet dat scholen en ouders hen ervan kunnen beschuldigen dat de resultaten van hun leerling of kind achteruit gaan. Alle profclubs hebben dan ook als regel dat een speler naast zijn sport voldoende tijd besteed aan zijn studie. Dat kan door een club zelf geregeld worden (zie het voorbeeld hieronder van voetbalclub Ajax), maar er zijn in Nederland ook zogenaamde LOOT-scholen waar talentvolle sporters naar toe kunnen. Meer informatie hierover lees je in hoofdstuk 8.

Studiebegeleiding bij Ajax[3]

Omdat er van Ajax uit heel wat verwacht wordt van de spelers en de ouders, wordt er van Ajax uit alles aan gedaan om het voor de jongens zo 'makkelijk' mogelijk te maken. Er wordt gezorgd voor vervoer van school naar de training. De spelers worden opgehaald zodat zij niet teveel tijd kwijt raken aan het openbaar vervoer. De spelers krijgen na de training bij Ajax aangepast en gezond eten. Een heel belangrijk punt waar Ajax voor zorgt is de studiebegeleiding. De discipline die van de jongens wordt verwacht op voetbalgebied wordt ook verwacht op het gebied van school. De schoolprestaties moeten niet leiden onder trainingen en wedstrijden. Een diploma is uitermate belangrijk

---

[3] Deze informatie is overgenomen van de website *www.ajax.nl.*

en er wordt dan ook alles aan gedaan om te zorgen dat spelers deze behalen. In tijden van examens of schoolonderzoeken worden dan ook regelmatig jongens vrijgesteld van trainingen om te zorgen dat de belasting niet te groot wordt. Bij de studiebegeleiding zijn verschillende leerkrachten aanwezig die helpen met het maken van huiswerk, maar die ook bijles geven. Door de hoge eisen die worden gesteld aan spelers, trainers en andere medewerkers blijft de klasse en uitstraling van de opleiding gewaarborgd.

8. LOOT-scholen

Leerlingen vanaf 12 jaar die op hoog niveau sporten en dus veel moeten trainen, kunnen naar zogenaamde LOOT-scholen gaan. LOOT-scholen houden er rekening mee dat een sporter veel tijd nodig heeft om te trainen en dat een leerling van hun school er soms een week niet is, omdat hij wedstrijden heeft in het buitenland.

Alle LOOT-scholen in Nederland zitten samen in een aparte stichting, de Stichting Landelijk Overleg Onderwijs en Topsport. Het NOC*NSF financiert een deel van de kosten voor de studerende sporters op de LOOT-scholen.

Op een LOOT-school kunnen talenten voortgezet onderwijs volgen met een aangepast programma (sportplan). LOOT-scholen maken de combinatie studie en topsport mogelijk in het voortgezet onderwijs (VMBO-HAVO-VWO).

Vrijstellingen

Leerlingen op een LOOT-school volgen een iets ander programma dan leerlingen in het normale voortgezet onderwijs. Zo heeft bijvoorbeeld niet iedereen bewegingsonderwijs op de LOOT-scholen, omdat de leerlingen buiten school al genoeg beweging krijgen door de vele trainingen die ze moeten volgen. Ook mogen de leerlingen soms een gespreid examen afleggen. Ze doen dan in het ene jaar in een aantal vakken examen en in het daarop volgende jaar in de resterende vakken.
Sommige scholen hebben een eigen studieruimte waar de leerlingen gebruik van kunnen maken. Daarnaast kunnen de leerlingen studiehulp krijgen als ze bijvoorbeeld een les gemist hebben, omdat ze een belangrijke wedstrijd onder schooltijd hadden.

Op de site *www.lootschool.nl*[4] stond dit als volgt omschreven:

LOOT-scholen houden rekening met de sportieve ambities van de leerlingen door extra onderwijsvoorzieningen aan te bieden:

- *Flexibel lesrooster dat ruimte laat voor trainingen en wedstrijden.*
- *Zonodig (gedeeltelijke) vrijstelling van bepaalde vakken.*
- *Zonodig uitstel of vermindering van huiswerk.*
- *Voorzieningen om achterstanden weg te werken, die zijn ver oorzaakt door afwezigheid in verband met trainingen en wed strijden.*
- *Een aparte studieruimte.*
- *Uitstel of aanpassing van de afname van repetities of school onderzoeken.*
- *Gespreid examen over twee jaar (voor de absolute topspor ter).*
- *Begeleiding van een studie- en sportcoördinator.*
- *Bemiddeling bij gebruik van sportaccommodaties.*

Criteria

Niet iedereen kan zomaar naar een LOOT-school toe. Er zijn een aantal eisen waaraan iemand moet voldoen. Het volgende staat op de site *www.lootschool.nl* [4]:

Om in aanmerking te komen voor een LOOT-status behoor je of maak je deel uit van:

- *de nationale top in jouw leeftijdscategorie;*
- *een districtsvertegenwoordiging;*
- *een regionale selectie;*
- *je hebt een hoge notering op een officiële ranglijst.*
Voor de voetballers geldt tevens dat je bij een Betaald Voetbal Organisatie speelt.

---

[4] De site www.lootschool.nl was in 2005 nog in werking. In 2006 echter niet meer.

Als een sporter aan al deze eisen voldoet, dan kan hij zich inschrijven voor een plaats op een LOOT-school. Het NOC*NSF bepaalt dan in overleg met de school en de ouders van de sporter of hij inderdaad in aanmerking komt voor de LOOT-school. Ieder jaar opnieuw zal bekeken worden of iemand onderwijs mag volgen op de LOOT-school.

Geschiedenis

Rond 1990 is op drie scholen begonnen met een speciale opvang voor jonge topsporters, zodat ze hun studie konden combineren met hun sportbeoefening. In de jaren negentig werd de Stichting LOOT opgericht. Het aantal van vijf scholen voor voortgezet onderwijs waarmee de Stichting begon, is inmiddels uitgebreid tot twintig scholen.

In de volgende plaatsen in Nederland vind je een LOOT-school: Groningen, Emmen, Venlo, Almere, Arnhem, Amsterdam, Enschede, Den Bosch, Zwolle, Utrecht, Heerenveen, Eindhoven, Lelystad, Bergen op Zoom, Alphen aan den Rijn, Den Haag, Nijmegen, Rotterdam, Sittard, Alkmaar.

Doel van de Stichting LOOT

Het doel van de Stichting LOOT is dubbel. Ten eerste wordt er een landelijk netwerk van scholen ontwikkeld, dat getalenteerde jonge topsporters in staat stelt hun ambities op sportgebied te verwezenlijken en tegelijkertijd een schooldiploma te behalen op het voor hen hoogst haalbare niveau.

Daarnaast wil de Stichting de mogelijkheden voor onderwijs en topsport voor de scholen die zijn aangesloten bij de Stichting LOOT vergroten. Om haar doel te bereiken geeft de Stichting bekendheid aan het landelijk netwerk, zoekt zij financiële ondersteuning voor de scholen en zorgt zij voor een aanmeldingsprocedure voor toetreding van nieuwe scholen.

De volgende sporters hebben ook op een LOOT-school gezeten:

Inge de Bruijn	zwemmen
Jacco Eltingh	tennis
Danny Heister	tafeltennis
Kevin Hofland	voetbal
Verona van de Leur	turnen
Suzanne Hermes	turnen
Gabriëlla Wammes	turnen
Jeffrey Wammes	turnen
Martin Verkerk	tennis
Kim Staelens	volleybal
Margje Teeuwen	hockey
Sander Westerveld	voetbal

Citaten[5]

Jasmy van Spankeren (talent judo):
"Ik zit op een LOOT-school. Dit is een school die van het Ministerie van Onderwijs toestemming heeft om topsportende leerlingen een afwijkend schoolrooster toe te staan. Dit jaar ben ik met school na de kerst overgestapt van 5 vwo naar 4 havo. Dit was geen makkelijke keuze voor mij. Ik wilde namelijk heel graag mijn vwo-diploma halen, maar helaas werd het allemaal iets te veel en kwam ik voor de keus te staan: of een stapje lager met school of minder trainen. Omdat ik met havo ook een HBO-opleiding kan gaan doen heb ik gekozen voor een stapje lager met school. Hierdoor kan ik volledig doorgaan met judo. Een hele moeilijke keuze voor mij, maar ik ben blij dat ik de stap genomen heb."

Shalina Groenveld (talent turnen):
"Ik train 6 dagen in de week, 2 keer per dag. 's Ochtends

---

[5] Het eerste citaat is afkomstig van de website www.sporttop.nl en het tweede citaat van de website www.lootschool.nl.

van half 8 tot 10 uur en 's middags van 3 tot 6 uur. En tussen door ga ik nog 4 uurtjes naar school. Ik train dus zo'n 34 uur in de week. Wedstrijden zijn meestal in het weekend en zijn niet zo heel vaak in het jaar, het ene jaar meer dan het andere jaar. (…)

Het combineren van mijn huiswerk en trainen gaat hartstikke goed, en dat komt natuurlijk ook omdat ik op een LOOT-school zit. Anders zou het allemaal wel een stuk moeilijker gaan. Op zaterdag heb ik vrij van trainen en dan probeer ik zoveel mogelijk huiswerk te maken, dingen in te halen en soms ook alvast een beetje voorwerk doen, zodat ik door de weeks rustig aan kan doen. Ik denk dat als ik niet op deze LOOT-school had gezeten, ik nooit havo gedaan zou hebben, dat had ik niet gehaald."

Rotterdamse LOOT-school: Het Thorbecke Voortgezet Onderwijs[6]

Het Thorbecke Voortgezet Onderwijs heeft een highschool-afdeling voor een aantal sporten. De highschool is een aanvulling op de bestaande sportklassen (talentherkenning) en topsportklassen (talentontwikkeling).
Als je op het Thorbecke Voortgezet Onderwijs komt en je doet in verenigingsverband aan basketbal, voetbal, honkbal, volleybal en hockey, kun je in aanmerking komen voor de nieuwe highschool. Mits je natuurlijk talent hebt.
Je krijgt dan zes uur in de week sportspecifieke trainingen onder leiding van een deskundige trainer. Sporten blijf je gewoon doen in je eigen team. Je traint twee keer in de week en speelt in het weekend je wedstrijden. Voor de andere lessen op het Thorbecke Voortgezet Onderwijs zit je in een klas waar je op jouw niveau les krijgt, dus VMBO, HAVO en VWO.
Voor het VMBO kun je in de bovenbouw het vak Sport,

[5] Citaat van *www.thorbecke-rotterdam.nl*.

Dienstverlening en Veiligheid volgen. Hierin wordt je voor-
bereid op een vervolgopleiding in de sport (bijvoorbeeld
CIOS) of geüniformeerde beroepen als het leger, de politie
en de beveiliging.
Als je op HAVO/VWO-niveau lessen op het Thorbecke
Voortgezet Onderwijs volgt, kun je in de bovenbouw het vak
Lichamelijke Opvoeding 2 gaan volgen. Je gaat bij dit vak
uitgebreid in op spelregels, tactiek, lesgeven, organiseren
en coachen. Je kunt zelfs eindexamen in deze vakken doen!
In het highschool-model krijg je dus ook volop de kans om
je niet alleen sportief te ontwikkelen, maar om je ook meer
in te gaan zetten voor bijvoorbeeld je vereniging.

9. Johan Cruyff Universiteit (JCU) en Johan Cruyff College (JCC)

Na de middelbare school kunnen topsporters natuurlijk een studie aan het MBO, het HBO of de Universiteit gaan volgen. Maar meestal is topsport moeilijk te combineren met studeren. Daarom heeft Johan Cruijff de Johan Cruyff University (JCU) en het Johan Cruyff College (JCC) opgericht. Daar krijgen studenten de gelegenheid topsport te combineren met een studie.

Johan Cruyff University (JCU)

Op de Johan Cruyff University (JCU), een initiatief van Johan Cruijff en de Hogeschool van Amsterdam, kunnen topsporters naast hun sportcarrière een 4-jarige HEAO-opleiding volgen. Afgestudeerden van de Johan Cruyff University zijn met hun sportachtergrond en winnaarsmentaliteit zéér gewild op de arbeidsmarkt, al helemaal bij sportgerichte bedrijven en organisaties. Ze zijn inzetbaar op het raakvlak van sport en business: in management, marketing, public relations en sponsoring.
De JCU is voor de studerende topsporter een prima basis om op terug te vallen als de topsportcarrière voorbij is. Ook in het buitenland (Spanje, Portugal en Mexico) zijn vestigingen van de Johan Cruyff University opgericht.

De Johan Cruyff University biedt een 'opleiding op maat', waarin de sportcarrière van de student centraal staan. Er is een coördinator Topsport en Studie die samen met de student de studie afstemt op de sportsituatie. Er wordt veel gebruik gemaakt van intranet, zodat de studenten niet altijd aanwezig hoeven te zijn, maar ook tijdens trainingskampen en toernooien hun studie gewoon kunnen voortzetten. Daarnaast haakt de JCU aan bij de kennis, vaardigheden en ervaring die de student in de sport(wereld) opdoet. Ook de medewerkers van de JCU hebben een topsportachtergrond.

Niet iedereen wordt toegelaten aan de JCU. Een student moet binnen zijn sport op het hoogste niveau actief zijn of zijn geweest. Verder moet hij een diploma MBO-niveau 4, HAVO of VWO op zak hebben.

Tijdens een interview[7] werd aan Johan Cruijff, die altijd aanwezig is bij de uitreiking van de propedeusediploma's, gevraagd of hij zelf vroeger ook een opleiding aan de JCU had willen volgen? Zijn antwoord luidde: "Jazeker, dat is juist een van mijn achterliggende motieven geweest om de opleiding te starten. Maar deze studie is niet bij uitstek bedoeld voor bijvoorbeeld topvoetballers op eredivisieniveau. Want zij kunnen in tegenstelling tot veel andere sporters hun eigen geld verdienen. (...) Als topsporter heeft leren geen prioriteit, dat weet ik uit eigen ervaring. Maar als een topsporter klaar is met zijn sportcarrière, dan is hij nog lang niet klaar met zijn leven. Het mooie van de JCU is dat het mes aan twee kanten snijdt. Want afgestudeerden zijn bekwame sportmanagers, en specifiek opgeleid om sportorganisaties te helpen beter te functioneren. Studenten aan de JCU hoeven minder college te volgen dan 'normale' HEAO-studenten, maar dat wil niet zeggen dat ze de vrijheid hebben om te doen wat ze willen. Op het moment dat een student niet goed genoeg blijkt, moet-ie van de opleiding af. Dat lijkt asociaal maar voor een sporter is dat nodig. Anders neemt hij een loopje met je. Ik ben zelf topsporter geweest, dus ik weet hoe het functioneert."

Johan Cruyff College (JCC)

Het JCC is een idee van Johan Cruijff en het ROC van Amsterdam (ROCvA). Bij het Johan Cruyff College (JCC) kunnen topsporters

---

[7] Het citaat van Johan Cruijff is afkomstig uit een interview met hem op de website *www.cruijff.com*.

tijdens hun sportcarrière in drie jaar tijd de opleiding Commercieel Medewerker Marketing en Communicatie op MBO-niveau doen. Met deze opleiding bereiden ze zich voor op een baan als commercieel medewerker bij bijvoorbeeld een sportclub, sportbond, een bedrijf of de overheid.

Ook hier wordt zoveel mogelijk rekening gehouden met het sportprogramma van de student.

Met het JCC-diploma kunnen studenten doorstromen naar de Johan Cruyff University. Ze kunnen dan zelfs een exclusief en verkort doorstroomprogramma volgen.

In maart 2006 werden in Maastricht, Nijmegen en Groningen drie nieuwe Cruijff Colleges geopend.

10. Stichting Sporttop

In 2004 is de stichting Sporttop opgericht door Jochem Uytdehaage (topschaatser). Sporttop is een stichting die Nederlandse topsporttalenten steunt. (Ex-)Topsporters en sponsoren helpen een aantal grote sporttalenten op hun weg naar de top. Dat is goed voor het talent en de Nederlandse sport in het algemeen: de talenten van nu zijn de sporters van de toekomst. Een aantal geselecteerde talenten kan minimaal een jaar lang een beroep doen op de kennis, ervaring en het netwerk van één van de meewerkende mentoren. Deze mentoren zijn bekende Nederlandse topsporters en ex-topsporters. Het talent onderhoudt contact met zijn mentor en ook zullen talent en mentor elkaar af en toe ontmoeten.

Enkele toonaangevende bedrijven treden op als sponsor van de stichting Sporttop. Deze bedrijven leveren geld ten behoeve van de talenten, zodat de kosten van het beoefenen van topsport op jonge leeftijd, laag blijven. Ook dragen de sponsors bij in de kosten om Sporttop te kunnen laten draaien.

Sporttop werkt met duo's. Een mentor wordt gekoppeld aan een talent. In 2004 is gestart met de volgende vijf duo's:
• Talent Tessa Bruggink (skiën) en mentor Stephan Veen (hockey)
• Talent Kai Pardieck (zwemmen) en mentor Marko Koers (atletiek)
• Talent Marije Langen (atletiek) en mentor Jochem Uytdehaage (schaatsen)
• Talent Jeffrey Wammes (turnen) en mentor Anky van Grunsven (paardensport)
• Talent Jasmy van Spankeren (judo) en mentor Esther Vergeer (rolstoeltennis)
Jeffrey Wammes kreeg in 2005 van het NOC*NSF de status van

A-sporter en is daarmee de titel 'talent' ontgroeid. Hij heeft veel gehad aan Sporttop. "De mentoring en sponsoring waren een welkome ondersteuning en ik heb mensen leren kennen waar ik tijdens mijn sportcarrière nog veel aan zal hebben." Jochem Uytdehaage hoopt dat Jeffrey Wammes het eerste talent in een lange reeks zal blijken te zijn die uit Sporttop promoveert. "Hoe meer topsporters er rondlopen met positieve Sporttop-ervaringen, des te sneller zal het Sporttop-netwerk groeien. En dat kan alleen maar goed zijn voor talentontwikkeling en dus voor de sport in het algemeen in Nederland. "

In 2005 maakten de volgende talenten deel uit van Sporttop:
• Anthony van Assche, 16 jaar, turnen
• Kai Bloetjes, 15 jaar, schaatsen
• Jelle Bosman, 16 jaar, tafeltennis
• Marvin de la Croes, 16 jaar, judo
• Mandy Dirkzwager, 14 jaar, skiën
• Annika Fangmann, 16 jaar, triatlon
• Steven Le Fevre, 17 jaar, zeilen
• Ranomi Kromowidjojo, 14 jaar, zwemmen
• Marije Langen, 18 jaar, atletiek (was ook Sporttop-talent in 2004)
• Jasmy van Spankeren, 16 jaar, judo (was ook Sporttop-talent in 2004)

De volgende mentoren zijn er in 2005 bij gekomen: Edith Bosch (judo), Richard Krajicek (tennis), Kamiel Maasse (hardlopen), Wietske de Ruiter (hockey), Bart Veldkamp (schaatsen), Ron Zwerver (volleybal) en Nico Rienks (roeien).
Op de site *www.sporttop.nl* is regelmatig te lezen hoe de samenwerking tussen de mentoren, de talenten en de sponsoren verloopt. Ook sturen de talenten actuele berichtjes en foto's.

11. Sporttalenten

Naast de bekende prijs Sportman, Sportvrouw en Sportploeg van het Jaar is er sinds 1973 ook een aanmoedigingsprijs voor jong sporttalent. In eerste instantie werd de Tom Schreurs-prijs uitgereikt aan het Talent van het Jaar. Sinds 1999 heet deze prijs 'De Junior'. Dit is een beeld van een sporter in de starthouding, hét symbool voor het begin van een topsportcarrière.

De prijs voor het beste talent werd tot 2001 uitgereikt tijdens het jaarlijkse Sportgala. Tegenwoordig vindt de verkiezing na het winterseizoen plaats en wordt de prijs uitgereikt bij een evenement dat bij de winnaar of winnares past

Talent van het Jaar 2005

Wielrenner Thomas Dekker, turner Jeffrey Wammes en schaatsster Ireen Wüst waren genomineerd voor de titel Talent van het Jaar 2005. De periode waarop de verkiezing betrekking had liep van 1 april 2004 tot en met 31 maart 2005.

De sportbonden en de Olympische Steunpunten konden talenten voordragen. De technische staf van het NOC*NSF heeft op basis van die voordrachten de hiervoor genoemde drie sporters genomineerd.

Uiteindelijk koos de Nederlandse sportpers, samen met de topsportbestuursleden van het NOC*NSF, uit deze nominaties het Talent van het Jaar: Thomas Dekker. Hij kreeg tijdens het NK Wielrennen 'De Junior' uitgereikt.

Hierna volgen drie korte beschrijvingen over de drie genomineerde talenten van 2005.

De toekomst zal uitwijzen of zij hun hoge niveau in hun tak van sport kunnen blijven behouden.

• Thomas Dekker

Toen Thomas Dekker op 13-jarige leeftijd zijn eerste wedstrijd had, won hij die meteen. En dat was het begin van z'n wielercarrière. In 2002 kwam hij bij de juniorenploeg van de Rabobank. De Noord-Hollander werd in zijn eerste jaar bij de ploeg van Frans Maassen nationaal kampioen tijdrijden. Bovendien won hij de eindklassementen van de Heuvelland Tweedaagse en de Drei Etappen Rundfahrt. Thomas Dekker pakte in zijn eerste jaar voor het Trade Team 3 (2003) zowel de nationale titel op de weg als in de tijdrit en kwam tijdens de Wereldkampioenschappen in het Canadese Hamilton met de bronzen medaille uit de strijd.
Bij het WK in Verona haalde Thomas (20) bij de beloften twee zilveren medailles binnen: bij de tijdrit en op de weg. Daarnaast werd hij in 2004 eerste in Olympia's Tour. Ook won hij een etappe in het Critérium International, werd hij eerste in het jongerenklassement en tweede in het eindklassement.

• Jeffrey Wammes

Turner Jeffrey Wammes (18) werd eind 2004 op basis van zijn eerdere goede prestaties uitgenodigd voor de finale van de World Cup serie, in Birmingham. Daar werd hij zesde op de vloer. Begin 2005 haalde Wammes twee gouden medailles bij de World Cup wedstrijd in New York, op de onderdelen vloer en sprong. Bij de World Cup in Cottbus bemachtigde hij een zilveren medaille op de vloer en werd hij zevende op de sprong. Ook in Sao Paolo haalde hij een zilveren World Cup medaille op vloer (5e op sprong).
De prestaties van Jeffrey Wammes in de EK toestelfinales (mei 2005) kunnen ook op een bijzonder plekje rekenen in de geschiedenis van de Oranje turnsport. Jeffrey leverde een geweldige prestatie tijdens zijn debuut in een EK finale. Op sprong kreeg hij een bronzen medaille met twee

prachtsprongen. Op vloer miste hij net het brons, maar vierde van Europa worden op dit toestel met al die krachtpatsers is ook een erg goede prestatie.

Helaas liep Jeffrey Wammes tijdens de wereldbekerwedstrijden in 2006 in Lyon een grote blessure op. Hij brak allebei zijn enkels en zal langdurig moeten revalideren.

Helaas liep Jeffrey Wammes tijdens de wereldbekerwedstrijden in 2006 in Lyon een grote blessure op. Hij brak allebei zijn enkels en zal langdurig moeten revalideren.

• Ireen Wüst

Schaatsster Ireen Wüst (19) heeft het seizoen 2004-2005 zowel bij de junioren als bij de senioren topklasseringen behaald. Zo won Ireen Wüst het WK voor junioren, werd ze vierde op het EK voor senioren en haalde ze op het WK allround voor senioren een vijfde plaats. Bovendien heeft Ireen een groot aantal (junioren)wereldrecords gereden.

Ireen Wüst, die op haar twaalfde ging schaatsen omdat haar vader Elfstedentochtplannen had, werd in 2003 tweede bij het WK junioren. Het seizoen daarna begon pechvol, want in de zomer liep ze een whiplash op bij een auto-ongeluk. Bij de NK afstanden reed ze slechts een 1000 en 1500 meter. De World Cup-periode gebruikte ze om bij te trainen, aan te sterken en van haar hoofdpijn af te raken.

Half december werd ze tweede op de 500 en won ze de 1500 meter bij de Europese Spelen voor junioren. Het NK allround sloot ze af als derde, maar daarna ging het hard: vierde bij het EK en vijfde op het WK allround voor senioren.

Het seizoen 2004-2005 maakte ze af in haar leeftijdscategorie. Daarna behoorde ze voorgoed tot de senioren.

Op de Olympische Spelen 2006 in Turijn bewees ze dat ze een hele grote is. Ze mocht twee keer op het podium staan: één keer voor de bronzen plak op de 1500 meter en één keer voor de gouden plak op de 3000meter.

12. Sporter van het Jaar

In 1951 werd in Nederland voor het eerst een Sporter van het Jaar gekozen. De uitverkorene was toen voetballer Abe Lenstra, die ook het jaar daarna de titel in de wacht sleepte. Geertje Wielema (zwemster) was in 1954 de eerste vrouwelijke Sporter van het Jaar.

Tot 1959 viel er slechts deze ene titel te vergeven. Vanaf 1959 werd zowel een Sportman als een Sportvrouw van het Jaar gekozen.

De titel Sportploeg van het Jaar werd geïntroduceerd in 1968. Ajax was het eerste uitverkoren team. De titel Sporter met een Handicap werd geïntroduceerd in 2002. De titel ging naar rolstoeltennisster Esther Vergeer.

Voor een volledig overzicht van alle Sporters van het Jaar kun je kijken op de website *www.sport.nl.*

Voor de titels van Sportman, Sportvrouw, Sportploeg en Gehandicapte Sporter van het Jaar nomineren Nederlandse sportjournalisten de topsporters. Er wordt een Sportgala gehouden en tijdens het Sportgala zelf kunnen alle stemgerechtigden stemmen. Stemgerechtigd zijn alle sporters die in dat Jaar een A-status hebben. Iedereen die wel een A-status heeft, maar niet op het gala aanwezig kan zijn, kan digitaal zijn stem uitbrengen. De Sporters van het Jaar worden dus eigenlijk door hun collega-topsporters gekozen.

Van talent naar topsporter: Van den Hoogenband en Van Moorsel

Hierna lees je over twee topsporters die jaren aan de top hebben gestaan. Er is gekozen voor de Sportman en Sportvrouw van het Jaar 2004: Pieter van den

*Hoogenband en Leontien van Moorsel. Zij hebben beiden
niet alleen in 2004 goed gepresteerd, ze staan al jaren aan
de top. Voor Pieter was het de derde keer dat hij deze titel
ontving (1999, 2000 en 2004), voor Leontien zelfs de zesde
keer (1990, 1993, 1999, 2000, 2003 en 2004)!*

Pieter van den Hoogenband[8]

*Pieter van den Hoogenband begon als negenjarige met
wedstrijdzwemmen en trainde tot zijn twaalfde vier uurtjes
in de week. Inmiddels traint hij per week twintig uur in het
water en zes uur in het krachthonk. In 1988 behaalde hij
zijn eerste overwinningen bij de Speedofinales in
Amersfoort (100 en 400 meter vrije slag).
Na zijn jeugdperiode begon Pieter internationaal in 1993
door te breken bij de Europese Jeugd Olympische dagen in
Eindhoven met goud op de 100 vrij en zilver op de 200 vrij.
Een jaar later werd hij drievoudig Europees jeugdkam-
pioen in Pardubice en behaalde er goud op de 100, 200 en
400 meter vrije slag.
In 1995 debuteerde hij op de EK in Wenen tussen de 'gro-
ten' en was hij finalist op de 100 en 200 vrij. Hij maakte
definitief naam als zwemmer waarmee men rekening moest
houden bij de US Open in Auburn in december van dat jaar,
waar hij zijn eerste Olympische ticket verdiende.
Bij de Olympische Spelen in Atlanta 1996 miste hij op de
200 meter het brons op 0,1 seconde en finishte hij op de 100
meter vrije slag als vierde.
Zijn eerste internationale medaille behaalde Pieter van den
Hoogenband bij de WK in januari 1998 in Perth.
Het jaar 1999 werd het 'gouden' jaar voor Pieter. Hij ver-
baasde de zwemwereld in Istanbul door Alexander Popov
te verslaan op het koningsnummer, de 100 meter vrije slag.
Ook won hij de 50 vlinder en de 50 en 200 vrij. Bij de EK*

---

[8] De tekst over Pieter van den Hoogenband is afkomstig van de website *www.pietervandenhoogen-
band.nl.*

*in Helsinki behaalde Van den Hoogenband drie keer zilver
en één keer brons.*

*Volledig uitgerust en in supervorm groeide Van den
Hoogenband in Sydney uit tot de held van de Olympische
Spelen. Niet alleen vestigde hij er wereldrecords op de 100
en 200 meter vrije slag, maar bovendien stootte hij
Alexander Popov van de troon op het koningsnummer.
Sensationeel was zijn zege op Ian Thorpe op de 200 meter.
In één van de mooiste zwemgevechten uit de Olympische
historie versloeg 'VDH' de Australiër, iets wat menigeen
niet voor mogelijk had gehouden. Samen met Martijn
Zuijdweg, Johan Kenkhuis en Marcel Wouda bezorgde
Pieter van den Hoogenband Nederland de (historische)
bronzen medaille op de 4x200 meter vrije slag estafette.*

*In Fukuoka bij de wereldkampioenschappen 2001 deed Van
den Hoogenband een stapje terug. Vier maal zilver in
Japan was overigens geen slecht resultaat.*

*Een ouderwets sterke Van den Hoogenband imponeerde bij
de EK in Berlijn 2002, waar hij superieur was op de 100 en
200 meter vrije slag.*

*Het jaar 2003 werd gekenmerkt door veel en intensief trai-
nen. Het resulteerde bij de wereldkampioenschappen in
Barcelona in twee keer zilver en één keer brons. In het
voor-Olympische jaar moest Van den Hoogenband echter
zijn meerdere erkennen in opnieuw Ian Thorpe (200 vrij).*

*Uiteindelijk groeide 2003 toch weer uit tot een succesvol
jaar dankzij drie gouden prijzen bij de Europese kampioenschappen korte baan in Dublin. Dat ging gepaard met fan-
tastische Nederlandse records én wereldtijden op de 100 en
200 meter vrije slag en een wereldrecord op de 4x50 meter
vrije slag.*

*De Olympische Spelen in Athene vormden opnieuw een
mijlpaal in het leven van Pieter van den Hoogenband. Hij
veroverde er drie medailles. Het begon met zilver op de
4x100 meter vrije slag estafette samen met Johan*

Kenkhuis, Mitja Zastrow en Klaas Erik Zwering. Op de 200 meter vrije slag leek prolongatie van het goud van Sydney mogelijk, maar in de slotfase moest hij zijn meerdere erkennen in Ian Thorpe.

De 100 meter vrije slag in Athene was bloedstollend spannend. Roland Schoeman had op een gegeven moment een lengte voorsprong, maar Van den Hoogenband zwom zijn eigen race en bewaarde het beste voor het laatste. Zo won hij met 0,06 seconde voorsprong opnieuw het koningsnummer.

De sportcollega's kozen Pieter van den Hoogenband evenals in 1999 en 2000 als Sportman van het Jaar 2004.

Leontien van Moorsel[9]

Op 22 maart 1970 werd Leontien van Moorsel (ook wel 'Tinus' genoemd) geboren. Broer Jan zat al op de wielerfiets en de kleine Leontien moest af en toe mee naar de wedstrijden van Jan. Omdat ze er toch al elke week bij was besloten haar ouders om voor Leontien ook maar een fietsje te kopen. Een gouden greep, zo bleek later, want Leontien beschikte niet alleen over een groots talent, maar over een nog veel grotere wilskracht. Dit bleek uit de successtory die volgde. Leontiens talent werd al snel door de zogenoemde keurmeesters opgemerkt en ze kwam in een ploeg terecht. Niet lang daarna werd ze uitgenodigd om mee te gaan met de nationale ploeg. Dat deze mensen het goed hadden gezien bleek uit de resultaten. In 1990 werd ze wereldkampioen ploegentijdrit en wereldkampioen drie kilometer achtervolging op de baan (beide in Japan). In 1991 werd ze wereldkampioen op de weg (in Duitsland). In 1992 behaalde ze de winst in het eindklassement van de Tour Féminin. In 1993 werd ze weer wereldkampioen op de weg (in Noorwegen) en wist ze weer het eindklassement in

[9] De tekst over Leontien van Moorsel is afkomstig van de website *www.leontienvanmoorsel.nl.*

de Tour Féminin te winnen.
Maar niet alleen succes kwam op Leontiens pad. Eind
1993, begin 1994 bleek dat die enorme wil teveel van haar
lichaam geëist had. Leontien wilde altijd meer, harder,
sneller, beter. Maar het was voor haar lichaam over. Totaal
vermoeid en geestelijk uitgeput belandde ze in misschien
wel het diepste dal uit haar leven. Gelukkig had ze onder-
tussen Michael Zijlaard, op dat moment zelf een voortreffe-
lijk coureur, ontmoet.
Hij leerde haar hoe ze op een gezonde manier haar sport
kon bedrijven en tegelijkertijd met volle teugen van het
leven kon genieten. In oktober 1995 stapten Leontien en
Michael in het huwelijksbootje en samen krabbelden ze
overeind.
Aan die enorme wilskracht die Leontien bezat was niks ver-
anderd, die was zelfs alleen nog maar sterker geworden.
De successtory was nog niet afgelopen, deze kreeg nog een
heel mooi vervolg.
Leontien en Michael begonnen in 1996 een nieuwe ploeg.
In deze ploeg begon Leontien aan haar comeback. Ze voer-
de niet alleen een enorm gevecht op de fiets maar ook in
haar hoofd en tegen haar eigen lichaam. Het zijn twee
loodzware jaren geweest voordat Leontien zich weer bij de
wereldtop mocht voegen. Maar dit deed ze, en hoe. In 1998
werd ze in eigen land in het Limburgse Valkenburg weer
wereldkampioen, dit keer op de tijdrit, en werd ze tweede in
de wegwedstrijd.
Enkele maanden daarvoor had ze op het wereldkampioen-
schap baan al laten zien dat ze er weer was met een zilve-
ren medaille op de achtervolging. Een jaar later werd ze in
het Italiaanse Treviso wederom wereldkampioen op de tijd-
rit.
Ondertussen was het 1999, het jaar voor de Olympische
Spelen. Een (gouden) medaille was de enige prijs die nog
ontbrak op Leontiens indrukwekkende erelijst. Samen met

Michael stippelde ze dan ook een plan uit om in Sydney 2000 te vlammen als nooit tevoren.

De voorbereiding was perfect en het resultaat: drie geweldige gouden medailles (achtervolging (baan), wegwedstrijd en tijdrit) en een zilveren (puntenkoers, baan)!

Leontien had alles bereikt wat er maar te bereiken viel in de wielersport. Na de Olympische Spelen van 2000 stelde ze zich nog één groot doel: het Wereld Uur Record verbeteren. In 2001 deed Leontien een poging, maar tevergeefs, de benen en omstandigheden waren niet optimaal, het record zat er niet in. Maar zoals bekend gaf Leontien niet op. In 2003 deed ze een nieuwe poging. Na testen in de windtunnel voor een zo aërodynamisch mogelijke houding en vele uren training is het zover: Leontien van Moorsel heeft in 2003 het Wereld Uur Record in handen!

Daarna stonden de Olympische Spelen van 2004 in Athene voor de deur. Nog één keer wilde Leontien laten zien wat ze kon, voordat ze in 2005 haar fiets aan de wilgen hing.

Bij de wegwedstrijd kwam ze door een kleine onoplettendheid hard ten val. Bont en blauw verscheen ze drie dagen later toch 'gewoon' weer aan de start voor de Olympische tijdrit. Om vervolgens op karakter naar het goud te rijden. Later zette ze met een bronzen plak bij de individuele achtervolging op de baan een kroon op haar prachtige carrière.

Op 8 januari 2005 heeft wielrenster Leontien Zijlaard-van Moorsel na 17 jaar afscheid genomen van de actieve wielersport tijdens de Zesdaagse van Rotterdam. Ze is tijdens haar wielercarrière zes keer Sportvrouw van het Jaar geworden.

13. Topsporters in actie

Waar en wanneer zie je de topsporters nu in actie? Zoals je in hoofdstuk 1 hebt kunnen lezen doen topsporters mee aan evenementen op internationaal niveau. Je komt ze dus tegen op Europese Kampioenschappen, Wereld Kampioenschappen en op de Olympische Spelen.

Europese Kampioenschappen en Wereld Kampioenschappen

Als de Europese Kampioenschappen Voetbal gehouden worden dan wordt daar in de media volop aandacht aan besteed, maar wanneer is het EK karate of WK badminton? Dat weten de meeste mensen niet. In de media wordt aan sommige sporten veel minder aandacht besteed, dan aan andere sporten. Terwijl bij alle sporten toch topprestaties worden geleverd. Op de site *www.sport.nl* onder het kopje 'evenementen', staat een 'eventfinder'. Deze geeft van alle sporten aan wanneer er belangrijke evenementen zijn. Je kunt daar dus opzoeken wanneer bijvoorbeeld het EK handboogschieten of schaken is.

Olympische Spelen vroeger

Bijna 3000 jaar geleden werden in de Griekse oudheid de zogenaamde Spelen gehouden. Het was een sportief en godsdienstig evenement. Aan deze boeiende traditie kwam echter in het jaar 393 een einde toen de 'heidense' Spelen getroffen werden door het verbod van de toenmalige Romeinse keizer.

In 1896 werden de Olympische Spelen opnieuw ingevoerd. Initiatiefnemer was de Fransman Pierre de Coubertin. De moderne Olympische Spelen (zoals de officiële naam was) werden gehouden in Athene. De Coubertin hoopte dat het samen sporten van mensen uit de hele wereld zou leiden tot een beter begrip tus-

sen verschillende volken. Niet het winnen was het belangrijkste, maar het meedoen. Het was echter niet zo dat iedereen zomaar mee kon doen. Alleen de allerbeste sportmannen en –vrouwen mochten deelnemen aan de Olympische Spelen.
Aan de eerste moderne Olympische Spelen deden ongeveer driehonderd sporters uit dertien verschillende landen mee. Nederland was daar nog niet bij. Er waren negen onderdelen waar de sporters aan mee konden doen.

Olympische Spelen nu

De Olympische Spelen worden sinds 1896 elke vier jaar gehouden (met uitzondering van 1916, 1940 en 1944 toen er oorlogen aan de gang waren). Het evenement wordt elke keer in een ander land gehouden. In totaal zijn er nu ruim dertig sporten die beoefend kunnen worden. Binnen een sport zijn er echter meerdere onderdelen. Zo heb je binnen de paardensport de onderdelen dressuur en springen en bij zwemmen heb je wedstrijden over verschillende afstanden.
Vanaf 1924 zijn de Olympische Spelen opgesplitst in een zomer- en een wintereditie. De zomereditie bleef de Olympische Spelen heten en de wintereditie werd Oympische Winter Spelen genoemd. Tot 1994 werden de Winter- en Zomerspelen steeds in hetzelfde jaar gehouden, maar op de jaarvergadering van 1986 besloot men dat de Winter Spelen een aparte cyclus zouden krijgen, steeds in het tweede kalenderjaar na de Olympische Zomerspelen.
Op *www.sport.nl* onder het kopje 'Olympisch' en vervolgens onder 'Zomer- en winteredities' vind je een duidelijk overzicht van alle Olympische Spelen en alle Olympische Winter Spelen sinds 1896. Er is informatie te vinden over onder andere de medailles. Daarnaast worden de Spelen één voor één kort beschreven.

Nederland op de Olympische Spelen

Meer dan 2200 Nederlanders deden in de twintigste eeuw mee aan de Olympische Spelen.
Op *www.sport.nl* onder het kopje 'Olympisch' en vervolgens onder 'Geschiedenis' en 'De Nederlanders' kun je met de 'Nederlandse Deelnemers Finder' elke Nederlandse deelnemer terugvinden. Je kunt daarnaast zien op welke discipline deze sporter meedeed en of hij/zij een medaille won.

Kwalificatie voor de Olympische Spelen

Om zich te kwalificeren voor de Olympische Spelen moet een sporter aan strenge eisen voldoen. Zo moet een sporter kunnen aantonen een redelijke kans te hebben om bij de beste acht van zijn discipline te eindigen. Daarnaast moet hij vormbehoud kunnen aantonen. Dat betekent dat hij het sportniveau waarmee hij zich heeft gekwalificeerd moet blijven behouden. Als concurrenten het niveau ook behalen zullen nieuwe testen gedaan worden. Tot slot moet de sporter zorgen voor een sportieve houding en goed gedrag.
Het NOC*NSF kan op ieder moment tot en met de aanvang van de Olympische Spelen besluiten niet over te gaan tot feitelijke uitzending in het geval van uitzonderlijke omstandigheden, zoals ernstige blessures, ziekte, dopinggebruik, onbehoorlijk gedrag, het in diskrediet brengen van de goede naam van het NOC*NSF, of de weigering van sporters om de kledingregels of het dopingprotocol te ondertekenen.

Paralympische Spelen

De Paralympische Spelen begonnen in 1948 met de Internationale Rolstoel Spelen van Londen om de gewonde soldaten uit de Tweede Wereldoorlog te helpen. Vier jaar later kreeg het evenement een internationaal karakter. Naast deelnemers uit Groot-Brittannië namen er in 1952 ook sporters uit Nederland deel. Het was het begin van de internationale Paralympische beweging. Het duurde tot 1960 voordat de Spelen in Rome een Olympisch karakter kregen. Direct na afloop van de Olympische Spelen werden toen de eerste Spelen onder de noemer 'Paralympische Spelen' gehouden. Vierhonderd sporters uit 23 landen streden tegen elkaar in acht sporten. Vanaf 1960 werden de Paralympische Spelen elke vier jaar gehouden. Tegenwoordig is het evenement uitgegroeid tot het op één na grootste sportevenement van de wereld. Alleen de Olympische Spelen zijn groter.

De Paralympische Spelen werden in 1976 ook toegankelijk voor sporters met andere beperkingen. Op deze manier konden sporters met verschillende beperkingen, zoals een lichamelijke, verstandelijke of een visuele beperking, aan één evenement deelnemen. In datzelfde jaar werden ook voor de eerste keer de Paralympische Winter Spelen gehouden.

Nederland is sinds de start van de Paralympische Spelen niet alleen altijd aanwezig geweest, maar heeft het evenement ook zelf een keer georganiseerd. In 1980 vonden de Paralympische Spelen plaats in Arnhem.

Voor kwalificatie gelden dezelfde strenge eisen als voor de Olympische Spelen. Nederlandse sporters moeten kunnen aantonen dat zij tijdens de Paralympische Spelen een redelijke kans maken om bij de beste vier tot zes van hun discipline te eindigen.

14. Nadelen van topsport

Topsporter zijn is niet alleen maar leuk. Je moet er veel voor doen en veel voor laten, namelijk:
- veel trainen;
- niet te laat naar bed gaan;
- vroeg opstaan;
- gezond eten;
- geen drank, drugs of sigaretten gebruiken;
- veel vrije tijd inleveren;
- vaak weg van huis;
- veel reizen dus.

Hieronder staan enkele citaten van talenten over de minder leuke kanten van topsport. Maar ondanks die mindere kanten lees je dat ze er toch allemaal voor blijven gaan en dat ze zich 100% blijven inzetten. En dat is natuurlijk de juiste instelling.

Citaten[10]:

Jeffrey Wammes (turnen):
Jeffreys trainingsschema begint om half acht 's ochtends in de gymzaal. "Dus moet ik al om 6.15 uur opstaan. Ik train tot kwart over tien en daarna ga ik naar school. Na de lessen train ik verder tot half acht 's avonds. Ik ben zes dagen in de week met mijn sport bezig, in het weekend heb ik één dag rust."
Er is ontzettend veel discipline voor nodig om op topniveau te turnen. Lekker uitslapen zit er niet in, een ruig stapleven kan Jeffrey vergeten en elke week naar de Mac kan hij op zijn sixpack schrijven.

Anthony van Assche (turnen):
"Ik rijd elke dag van Zeeland naar Rotterdam om te trainen.

---

[10] De citaten zijn bijna allemaal afkomstig van de website *www.sporttop.nl*. Alleen het citaat van Jeffrey Wammes is afkomstig uit een interview met hem in het tijdschrift *Break Out* (3 juni, 2005).

Dat is ongeveer anderhalf uur rijden. Dit doe ik al zo'n acht jaar. En nog steeds met plezier!"

Jelle Bosman (tafeltennis):
"De afgelopen drie jaar ben ik onafgebroken de nummer 1 van de jeugdranglijst. Om dit te bereiken train ik tussen de 16 en 20 uur per week. Dit is behoorlijk veel omdat ik er ook nog een MBO-opleiding bij doe. Af en toe is het wel lastig om dit op te brengen, want je ziet je leeftijdsgenoten allemaal andere dingen doen. Maar ik heb er zelf voor gekozen en ik heb het er ook graag voor over."

Marije Langen (atletiek):
"Atletiek is voor mij het belangrijkste in mijn leven. Ik leef er helemaal voor. Soms moet je er wel dingen voor laten, want je kan bijvoorbeeld echt niet mee uitgaan omdat je moet trainen of vaak een wedstrijd hebt. Ik denk wel dat je er veel voor terug krijgt. Je leert bijvoorbeeld veel mensen kennen en je ziet nog eens wat van Nederland en andere landen. Dat is erg leuk."

15. Nederlandse talenten en top-sporters in het buitenland

In het vorige hoofdstuk werd als één van de nadelen van topsport genoemd dat topsporters vaak ver van huis zijn en dus ook ver weg van vrienden en familie. Soms is dat meerdere malen per jaar een korte periode en soms moeten ze voor lange tijd naar het buitenland.

Dit kan om verschillende redenen zo zijn. Sommige talenten hebben hun opleiding in het buitenland. Bijvoorbeeld omdat de faciliteiten daar beter zijn. Zo hebben skiërs en snowboarders natuurlijk sneeuw nodig om goed te kunnen trainen. Zij verblijven daarom voor een groot deel van het jaar in gebieden die sneeuwzeker zijn.

Andere talenten gaan op stage naar het buitenland. Bijvoorbeeld om bij een bekende buitenlandse coach trainingen te volgen of om een bepaald onderdeel van hun sport te oefenen. Zo gaan wielrenners vaak op trainingsstage naar een land met bergen om de bergritten te oefenen, want bergen zijn er natuurlijk niet in Nederland.

Sporters kunnen ook naar het buitenland vertrekken, omdat ze daar bij een bepaalde club willen sporten. Denk maar aan voetballers die in Engeland, Duitsland, Italië of Spanje gaan voetballen of volleyballers die naar Italië gaan. Dit kan een sportieve verbetering zijn, bijvoorbeeld als de club waar ze gaan spelen een echte topclub is die internationale wedstrijden speelt. Het kan ook een financiële verbetering zijn. Ze verdienen bij die club meer dan bij een Nederlands team.

Citaten[11]

Nicolien Sauerbreij (snowboarden):
"Vanaf mijn 18e deed ik het volledige wereldbeker-circuit, waardoor ik de hele winter afwezig zou zijn van school. De

[11] De citaten zijn bijna allemaal afkomstig van de website *www.sporttop.nl*. Alleen het citaat van Nicolien Sauerbreij is afkomstig van de website *www.nicoliensauerbreij.nl*.

ideale oplossing was het volwassenenonderwijs. In deeltijd heb ik mijn diploma daar gehaald. Daarna heb ik me een paar jaar alleen maar geconcentreerd op het snowboarden."

Annika Fangmann (triathlon):
"Sinds 2005 ben ik opgenomen in de Nederlandse triathlonselectie voor junioren. Mede daardoor ben ik in maart op trainingsstage geweest naar Mallorca. Dat was een hele leuke ervaring omdat er veel atleten uit de Olympische afstandselectie mee waren. Dat was voor mij een extra stimulans."

Mandy Dirkzwager (alpineskiën):
"Na mijn HAVO wil ik in Oostenrijk gaan wonen om te trainen. Ik wil het dan wel gaan combineren met een vervolgopleiding."

16. Topsport en voeding

Natuurlijk is gezond eten voor iedereen belangrijk, maar voor sporters is het van extra belang. Voedingsmiddelen leveren niet uitsluitend energie voor training en wedstrijden. Zij leveren ook de bouwstenen die noodzakelijk zijn voor de opbouw en het herstel van de spieren en andere vitale weefsels zoals de hersenen, de lever, het hart, de nieren, botten, enz.

Van topsporters worden topprestaties verwacht. Eén van de voorwaarden voor maximale prestaties én het behoud van de gezondheid is een verantwoord gebruik van voeding, afgestemd op het trainings- en wedstrijdprogramma van de topsporter.
Een goed uitgebalanceerde voeding en het gebruik van de juiste sportvoedingssupplementen (meestal koolhydraatrijke dranken) op het juiste moment kan het prestatievermogen aanzienlijk verbeteren. Een slecht of nonchalant voedingspatroon leidt daarentegen tot een onvoldoende herstel en slechtere prestaties. Daarom hebben topsporters vaak een persoonlijk voedingsadvies nodig en moeten ze zich aan een speciaal voor hen samengesteld dieet houden.

Aan sporters wordt over het algemeen geadviseerd om koolhydraatrijke voeding te eten. Koolhydraten zijn de belangrijkste energiebron om intensief te kunnen sporten. Hoe intensiever je gaat sporten, hoe meer energie je verbruikt die afkomstig is van koolhydraten. Koolhydraten in de vorm van zetmeel komen voor in brood, aardappelen, rijst, pasta en peulvruchten (bruine en witte bonen). Vruchten en vruchtensap bevatten eenvoudige koolhydraten als vruchtensuiker en druivensuiker.
Daarnaast moeten sporters veel drinken. Bij grote inspanning verliest een sporter namelijk veel vocht en dat moet steeds aangevuld worden. Hiervoor hoeven niet altijd speciale sportdrankjes worden gebruikt; water is vaak ook een prima dorstlesser.

Ongezond eten, zoals snacks en teveel snoep, moeten topsporters vermijden. Ook teveel alcohol is niet goed en roken is helemaal verboden.

17. Topsport: vroeger en nu

Als je tweehonderd jaar geleden heel goed was in sporten, dan was dat wel leuk, maar je had er verder niet veel aan. Sport was toen niet belangrijk. Bovendien hadden niet veel mensen er tijd voor, omdat de meeste mensen hele dagen hard moesten werken. De rijkere mensen hadden wel meer vrije tijd dan de arme mensen. Natuurlijk speelden kinderen ook wel eens voetbal of als er ijs lag dan gingen veel mensen schaatsen, maar dat deden ze alleen voor hun plezier. Van sporten kon je toen nog niet je beroep maken en je kon er ook niet veel geld mee verdienen.

Tegenwoordig is dat allemaal anders. Sport is veel belangrijker geworden in het leven. Mensen worden nu zelfs gestimuleerd om te gaan sporten, omdat het goed is voor de gezondheid. Veel mensen bewegen namelijk veel te weinig en worden daardoor te dik. Door te sporten bouw je conditie op en val je af. Andere mensen zijn zo druk met werken dat ze geen tijd nemen om te ontspannen. Door te sporten ben je even met iets anders bezig dan met werk en dat is ontspannend.

In tegenstelling tot vroeger kunnen de echt goede sporters nu wel hun beroep maken van hun sport. Zij werken dan als topsporter. Dat is hard werken, maar ze worden er wel voor betaald. En sommige topsporters verdienen erg veel. Bijvoorbeeld profvoetballers of tennissers. Die zijn soms al miljonair voor hun vijfentwintigste.

Maar of je nu topsporter wordt of niet, sporten is hoe dan ook goed voor je!

18. Wat verdienen topsporters?

De ene sporter verdient veel meer dan de andere. Het hangt van een aantal factoren af hoeveel iemand verdient:
• Welke sport iemand beoefent.
Een profvoetballer en een proftennisser verdienen veel meer dan bijvoorbeeld een judoka of een biljarter.
• Hoe goed iemand is.
Een tennisser die in de top 10 staat en dus regelmatig een toernooi wint, verdient veel meer dan een tennisser die ergens op de 200ste plaats staat.
• Of iemand een goede sponsor heeft.
Als een sporter een contract heeft afgesloten met een grote sponsor zoals Nike of Adidas, dan verdient hij daar ontzettend veel mee. Vooral als hij ook nog meespeelt in een spotje dat uitgezonden wordt op radio of televisie.

Sommige sporters hebben een vast salaris dat betaald wordt door de club waar ze spelen, bijvoorbeeld profvoetballers of -volleyballers. Daarnaast krijgen ze allerlei premies, bijvoorbeeld als ze een belangrijke wedstrijd gewonnen hebben.
De gemiddelde eredivisie voetballer verdient in Nederland 290.995 euro. Een echte topvoetballer die voetbalt in het buitenland verdient al gauw miljoenen euro's. In 2005 was Ruud van Nistelrooy (voetballer bij Machester United in Engeland) de best verdienende Nederlandse voetballer. Hij verdiende 8.460.000 euro.[12]

Andere sporters hebben geen vast salaris en moeten het hebben van het geld van sponsoren en het geld dat ze verdienen door wedstrijden te winnen. Op de site van Michaëla Krajicek (*www.misa-krajicek.nl*), een groot tennistalent, staat vermeld dat ze 84.043 dollar aan prijzengeld heeft mogen ontvangen tot dan toe (juli 2005).

---

[12] Deze informatie is te vinden op *www.realunited.nl.*

Citaat:

Raemon Sluiter (tennisser)[13]:
"Ik mag niet klagen. Maar het kan ook heel erg tegen zitten. Als tennisser krijg je geen vast salaris. Wanneer je een toernooi hebt en je niet door de kwalificatie komt, krijg je geen geld. Maar je moet wel je coach, eten, verblijf, enzovoorts betalen.
Ik heb ooit in de Verenigde Staten zowel in Miami als in Los Angeles de kwalificaties niet gehaald. In die twee weken verdiende ik maar 600 dollar. Die weken hebben me veel geld gekost. Daar tegenover staat dat het prijzengeld bij veel hoofdtoernooien heel hoog is. En als je op Wimbledon staat en er helemaal niks van bakt, krijg je toch nog 10.000 euro."

Als je nog niet genoeg prijzen wint, dan moet je naast het beoefenen van je sport gewoon werken of een studie volgen. Vooral jonge talenten moeten veel geld investeren in hun sport. In het begin moeten ze hun materialen zelf betalen en ook het reizen naar trainingen en wedstrijden kost veel geld. En of al het geld en de tijd die in het sporten gestoken wordt, later ook weer door het talent terugverdient wordt, is natuurlijk onzeker.

Citaten:

Jeffrey Wammes (turnen)[14]:
"Bijna alle turners zitten op school. Het is niet te doen om alleen maar te turnen, want het is geen vetpot. Als je eerste bent op een grote wedstrijd, krijg je ongeveer 1500 euro. Dat loopt af tot de achtste plaats. En dat geld gaat weer op aan trainingen. Je wordt hier dus absoluut niet rijk van. Het is gewoon een passie, waar ik nu helemaal voor ga."

[13] Dit citaat is afkomstig uit het tijdschrift Profielen (nr. 4, 2002).

[14] Dit citaat is afkomstig uit Break Out (3 juni 2005).

Marije Langen (atletiek)[15]:
"Het afgelopen jaar heb ik door Sporttop onder andere Asics als sponsor gekregen. Dat is erg handig. Ik heb daar nu een contract en kan sportkleren en schoenen krijgen."

Jelle Bosman (tafeltennis)[16]:
"Mijn ouders zijn tot nu toe altijd mijn belangrijkste sponsor geweest, doordat ze vroeger altijd alles moesten betalen en me nu nog steeds overal heen rijden. Intussen heb ik al wel een sponsor gevonden voor alle materialen. Vrocosport sponsort mij al sinds augustus 2003 en zorgt ervoor dat ik geen extra kosten heb buiten het rijden naar trainingen en toernooien."

[15 en 16] Dit citaat is afkomstig van de website *www.sporttop.nl.*

19. Het leven na de topsport

Iemand kan meestal maar een aantal jaren op hoog niveau sporten.
Bij de ene sport ligt dat anders dan bij de andere. Bij darten of biljarten maakt je leeftijd bijvoorbeeld niet zo heel veel uit. Ruiters zijn meestal ouder dan voetballers, volleyballers en hockeyspelers. Turners zijn weer jonger.
Bij tennissen of turnen kun je op je zestiende al doorbreken, terwijl Raymond van Barneveld (darts) pas op z'n dertigste definitief is doorgebroken.
Ook binnen een sport kan er een enorm verschil tussen het moment van doorbreken zitten. Zo debuteerde Clarence Seedorf op 18-jarige leeftijd in het Nederlands voetbalelftal en Barry van Galen was al 34 toen hij voor het eerst mee mocht doen.
De ene topsporter kan ook veel langer meedraaien aan de top, dan een ander die bijvoorbeeld maar één jaar aan de top zit.

Op een gegeven moment wordt iedereen echter ingehaald door nieuwe, jonge talenten. Een sporter kan dan af gaan bouwen, op een lager niveau gaan spelen of helemaal stoppen.
Sommige voetballers spelen na de eredivisie nog een paar jaar in een lagere klasse.
Andere sporters zoals bijvoorbeeld Leontien van Moorsel (wielrennen) en Stephan Veen (hockey) stoppen op hun hoogtepunt.

Er zijn topsporters die miljonair zijn geworden en die nooit meer hoeven te werken. Maar dat vinden sommigen dan ook weer saai. Ze willen graag wat te doen hebben.
Veel topsporters gaan werken in de sport die ze gedaan hebben, bijvoorbeeld als coach/trainer of commentator/presenator.
Als je kijkt naar het Nederlands Elftal (voetbal) dat in 1988 het Europese Kampioenschap won, dan zie je dat de spelers van toen bijna allemaal trainer/coach van een profclub zijn geworden,

zoals Frank Rijkaard, Ronald Koeman, Erwin Koeman, Marco van Basten, John van 't Schip, Danny Blind, Jan Wouters en Ruud Gullit. Daarvoor hebben ze wel eerst allemaal een opleiding gevolgd, stage gelopen en een diploma gehaald. Zelfs als je zelf op topniveau gevoetbald hebt, kun je niet zomaar trainer in die sport worden.

Wim Kieft, Hans Kraaij jr., Jacco Eltingh, Willem van Hanegem en Johan Cruijff zijn voorbeelden van profspelers die nu nog wat bijverdienen als verslaggever, analist/ commentator van wedstrijden.

Andere manieren om na je carrière met je sport bezig te blijven is het geven van clinics aan de jeugd. Voorbeelden van topsporters die dat doen zijn de tennissers Haarhuis en Eltingh en de atleet Marco Koers. En de tennisser Richard Krajicek is organisator van het ABN-AMRO Tennis Tournament in Rotterdam geworden.

Naast de topsporters die verder gaan in de sport, zijn er natuurlijk ook sporters die een heel andere richting uitgaan. Zij beginnen bijvoorbeeld een eigen zaak (winkel, restaurant of café) of gaan werken in het vak waarvoor ze geleerd hebben.

Het is dus altijd verstandig om in de beginperiode van je carrière een opleiding te volgen. Dan heb je tenminste een diploma als je sportcarrière voorbij is en bestaat er een grote kans dat je ergens aan de slag kunt. Dat is handiger dan dat je na je carrière nog weer moet gaan studeren.

Van verreweg de meeste sporters is niet bekend wat zij na hun topsportperiode doen, omdat ze gewoon niet meer in de belangstelling staan zodra ze gestopt zijn. Het interesseert de media niet meer wat deze ex-sporters doen en zij werken in anonimiteit.

20. Gebruikte websites en boeken

Boeken

M+Redactie & Communicatie,
Theo Hoogstraaten, Jaap Tanja, et al.,
Toptalent, Hilversum: Kwintessens, 2004.
Matty Verkamman, Rob Velthuis, Johan Woldendorp, e.a.,
Sporteeuw, 100 jaar Nederlandse topsport,
Amsterdam: Veen, 2000.

Websites

www.sport.nl Site van sportorganisatie NOC*NSF
www.sporttop.nl Site van de Stichting Sporttop
www.lootschool.nl Site met informatie over LOOT-scholen[17]
www.ajax.nl
www.feyenoord.nl
www.psv.nl
www.cruijff.com
www.jcu.hva.nl
www.pietervandenhoogenband.nl
www.leontienvanmoorsel.nl
www.nicoliensauerbreij.nl
www.ireenwust.nl
www.misa-krajicek.nl
http://jeffreywammes.gympie.nl
www.thorbecke-rotterdam.nl
www.realunited.nl

---

[17] De site www.lootschool.nl was in 2005 nog in werking. In 2006 echter niet meer.

Reeds verschenen in de WWW-reeks:

Deel 15 Martin Luther King
Yono Severs
ISBN 90-76968-77-2

Deel 17 El Niño
Saskia Rossi
ISBN 90-76968-79-9

Deel 16 Tatoeages, piercings e.a.
Connie Harkema
ISBN 90-76968-78-0

Deel 18 Coca Cola
Ton Vingerhoets
ISBN 90-76968-71-3

Reeds verschenen in de WWW beroepen-reeks:

Deel 1A
Werken in de sport: Topsport
Esther Nederlof
ISBN 90-76968-69-1

Deel 3 De kapster/kapper
Yono Severs
ISBN 90-76968-91-8

Deel 2 De kraamverzorging
Carla Gielens
ISBN 90-76968-49-7